為什麼會有貧窮與飢餓？

世界中的孩子

文 路易絲·史比爾斯布里
Louise Spilsbury

圖 漢娜尼·凱
Hanane Kai

譯 郭恩惠

目錄

大部分的人都有足夠的錢買自己需要與想要的東西，例如，除了吃維持健康的食物之外，還能額外享用自己愛吃的美食。

4

　　但¬有¬一¬些┐人¬却┐處¬於¬貧¬窮┐之┐中┐。　貧¬窮┐的╭意┐思┐就┐是╭擁¬有¬
很┐少┐的¬錢┐，　甚┐至¬完┐全¬沒┐有¬錢┐，　買┐不¬起┐能┐填¬飽┐肚┐子┐的¬食┐物┐，
幾¬乎¬每¬天¬挨¬餓┐。　長¬期┐處¬於¬飢¬餓┐當┐中┐，　會┐使¬人¬身┐體┐虛┐弱┐，
容┐易┐疲┐倦┐、　生¬病┐。　世┐界┐上┐每¬九┐個┐人¬中┐就┐有¬一¬個┐人¬沒┐有¬
足┐夠┐的¬食┐物┐吃┐，　沒┐辦┐法┐過┐健¬康┐有¬活┐力┐的¬生¬活┐。

全世界最貧窮的家庭，多半生活在開發中國家。
在這些國家裡，多數人的錢都不夠用。許多人每天
只有新臺幣五十幾元可以用來買需要的食物、乾淨的
水、衣服和藥物，還有住的地方也需要花費，
怎麼可能會夠用呢？

6

當然，其他國家也有貧窮與飢餓的人。造成貧窮與飢餓的原因很多，這些原因常常是人們無法控制的。

忍受飢餓的人們當中，有四分之三靠自己耕種、取得食物。問題是，他們可能沒有足夠的錢買地、工具或種子。除此之外，天氣也會影響收成，一旦沒下雨，農作物和牲畜就會死亡。人們沒有食物可吃，就得挨餓。

有時候，人會變得貧窮是因為工作的地方關閉了，或因為拿到的薪資很低；有些人則是因為有身心障礙，無法繼續工作；如果家裡賺錢的人不在了，其他家人也可能因此挨餓。

戰爭也會造成貧窮與飢餓。戰爭期間，人們必須打仗，不能工作賺錢；農田會遭到破壞，牲畜會死亡；有時候農田裡甚至會被埋設炸彈，這會讓農民好幾年都無法耕種那些田地。

因為戰爭的緣故，人們有時候還得離開自己的家。這群被迫逃離自己國家，前往其他安全地方的人，我們稱為「難民」。不過，就算遷往新的地方，難民往往沒有家也沒有工作，這表示他們無法賺錢買食物和住的地方。

11

天災也會造成貧窮與飢餓， 而且災害隨時隨地都在發生。 水災會淹沒農田、 破壞作物， 農民就種不出食物； 颱風會摧毀房屋和商店， 讓人無家可歸、 失去工作也買不到食物。

現在地球氣溫愈來愈高，全球暖化的現象將可能讓乾旱及其他天災愈來愈頻繁出現。當農作物都被天災毀壞，可販售的食物就變少，食物的價錢也會跟著上漲，這會讓世界上更多人沒有食物可吃。

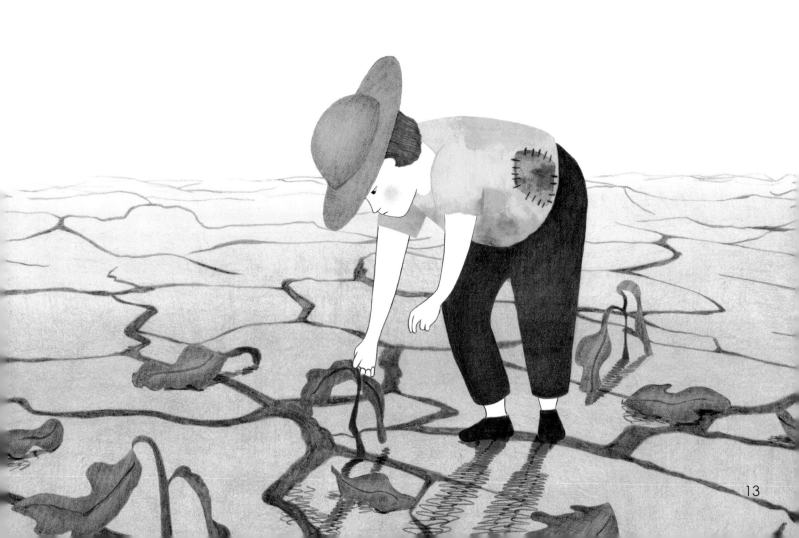

大部分的人都住得起溫暖又安全的家，也買得起乾淨的水來喝、洗東西及煮東西。生病時，他們也負擔得起醫藥費。

但貧窮的人多半只能住在潮溼、陰冷的房子裡，甚至沒有地方住，得流落街頭。沒有舒適的家、食物或乾淨的水，人很容易生病。當貧窮的人生病時，卻很可能付不起醫藥費而無法看醫生。

對孩子來說，貧窮的生活很不好過。有些孩子可能沒有新衣服穿，不能參加學校郊遊，在學校裡還會被同學嘲笑或欺負。你能想像他們的感受嗎？誰都不希望因為貧窮就受到不同的態度對待。

有些家庭窮到買不起孩子上學用的制服或書本。還有些孩子因為太飢餓、身體虛弱，根本無法學習。這會使得他們長大後很難找到工作，導致他們的孩子未來也可能像自己一樣，過著貧窮又飢餓的生活。

慈善組織是助人的團體，可以幫助有需要的家庭和孩子。在某些地方，慈善工作者會經營食物銀行，鼓勵人們捐出罐頭及食物包，當窮人沒有食物可吃時，就可以從食物銀行領取食物。

慈善組織也會幫助人們改善生活。他們提供工具給開發中國家的人蓋房子，也會提供船給貧窮的漁村，讓人們可以工作，並幫助他們開設商店或開創其他事業。慈善團體還會宣導貧困家庭的相關訊息，鼓勵大家捐款幫助需要的人。

慈善組織也以借款的方式幫助農民，農民借到錢就可以購買耕作工具、機器和作物的種子。他們還教導農人使用肥料，讓作物長得更碩大肥美。

當農民種植的作物很健康，以後就有更多食物可以吃或販賣。這也表示農民的家庭會賺到更多錢，可以用來買課本、衣服、付醫藥費，以及其他有用的東西。

我們都需要乾淨的水才能維持身體健康。慈善組織也會教導開發中國家的人們如何鑿井、裝設抽水機以取得乾淨的水，並協助建造儲水槽及廁所，這樣做有助於減少疾病發生。

慈善組織還會幫助當地居民蓋醫院。他們培訓護士及醫生、提供藥品，並努力確保所有嬰兒都接受必要的健康檢查。孩子要健康長大，才能成為健康的大人。

肚子餓的時候是很難好好學習的。想像一下空著肚子去上學是什麼感覺？人肚子餓時不容易專心上課，也記不住事情。學校可以提供免費的營養午餐，這樣孩子們就不會挨餓了。

所以有些人藉由蓋學校、培訓老師來幫助開發中國家的孩子。這樣一來，會有更多人可以獲得學習的機會。當孩子接受教育，長大後就比較容易得到薪資較高的工作、遠離貧窮。

有些人生活在貧困環境中，有些人卻過著豐衣足食的生活，會為這樣的事情感到難過或生氣是很正常的。如果你心裡不舒服，可以跟大人聊聊自己的感受，他們能幫助你。

事情總是會愈來愈好的。現在全世界處於貧窮與飢餓的人比二十年前更少了，這是因為有一些人為了改善貧困的問題付出了努力，也帶來許多正面的影響，一直到現在還是有許多人持續伸出援手。

助人為快樂之本，有很多事情你也能做到。例如，你可以把舊玩具、書、衣物捐給慈善商店；也可以請家人把食物捐給食物銀行；你還可以烤蛋糕為慈善組織募款，幫助世界各地貧窮及挨餓的人。想想看，你還能做什麼？

學一學本書中的相關用詞

天災 natural disaster

造成巨大災害的自然現象，如颱風、颶風、水災、地震等。

全球暖化 global warming

由於地球溫度上升造成的氣候變化。

颱風 typhoon（颶風 hurricane）

會造成巨大災害的熱帶氣旋，經常帶來狂風暴雨。在北太平洋西部稱為「颱風」，北大西洋、北太平洋中部及東部稱為「颶風」。

水災 flood

因大水沖刷陸地、農田、街道及房屋而造成的災害。

乾旱 drought

因長期雨水不足而造成的災害。

肥料 fertilizer

幫助植物長得更大、更好的東西，分成天然肥料與化學肥料兩種。

疾病 disease

病症的總稱。

難民 refugee

為了逃難而離開自己國家到外國避難的人。

開發中國家 developing countries

收入較少、健康狀況及教育發展程度較低的國家。

身心障礙 disability

由於某種病症或傷害，導致一個人無法做到某些事，例如眼睛看不見，或是有學習障礙。

挨餓 starve

忍受飢餓。

農作物 crop

為了作為食物而人工種植的植物。

慈善組織 charity

從事救濟的團體，幫助需要的人。

食物銀行 food bank

一種慈善組織，有需要的人可以從這個地方得到免費食物。

本系列與中小學國際教育能力指標對應表

本系列扣合「中小學國際教育能力指標」之學習目標，期待透過本系列的文字及圖畫，孩子、家長及教師能一同探討世界上發生的重大議題，進而引發孩子關懷的心，讓孩子在往後的人生道路中，能夠時時關心這個世界並付出己力。

備註：表格中以色塊代表哪一繪本，並於其中標註頁數

為什麼會有貧窮與飢餓？　　**為什麼會有難民與移民？**　　**為什麼會有種族歧視與偏見？**　　**為什麼會有國際衝突？**

中小學國際教育能力指標（基礎能力）

目標層面	能力指標編碼與學習內容	本系列相應內容
國際素養	2-1-1 認識全球重要議題	貧窮與飢餓 P4-17　　難民與移民 P4-19 種族歧視 P6-7　　偏見與不寬容 P8-11 國際衝突 P4-15
全球責任感	4-1-2 瞭解並體會國際弱勢者的現象與處境	貧窮與飢餓的處境 P6-17 難民與移民的現況 P4-19 偏見的影響 P12-17 國際衝突的後果 P12-15

中小學國際教育能力指標（中階能力）

目標層面	能力指標編碼與學習內容	本系列相應內容
國際素養	2-2-2 尊重與欣賞世界不同文化的價值	尊重不同點 P22-23
全球競合力	3-2-3 察覺偏見與歧視對全球競合之影響	偏見對全球競合力的影響 P12-17 衝突對全球競合力的影響 P12-17
全球責任感	4-2-2 尊重與維護不同文化群體的人權與尊嚴	人權與尊嚴的維護 P20-25　　P18-25 P16-25

中小學國際教育能力指標（高階能力）

目標層面	能力指標編碼與學習內容	本系列相應內容
國際素養	2-3-1 具備探究全球議題之關連性的能力	全球議題的連動性 P4-17　　P4-19 P4-17　　P4-15
全球責任感	4-3-1 辨識維護世界和平與國際正義的方法	安全與和平的維護 P18-25　　P20-25 P18-21　　P4-15

（知識繪本館）

為什麼會有**貧窮**與**飢餓**？
世界中的孩子❶

作者｜路易絲‧史比爾斯布里 Louise Spilsbury
繪者｜漢娜尼‧凱 Hanane Kai
譯者｜郭恩惠
責任編輯｜張玉蓉
特約編輯｜洪翠薇
美術設計｜蕭雅慧
行銷企劃｜陳詩茵、劉盈萱

天下雜誌群創辦人｜殷允芃
董事長兼執行長｜何琦瑜
媒體暨產品事業群
總經理｜游玉雪　副總經理｜林彥傑
總編輯｜林欣靜
行銷總監｜林育菁　主編｜楊琇珊
版權主任｜何晨瑋、黃微真

出版者｜親子天下股份有限公司
地址｜台北市104建國北路一段96號4樓
電話｜（02）2509-2800　傳真｜（02）2509-2462
網址｜www.parenting.com.tw
讀者服務專線｜（02）2662-0332　週一～週五 09:00~17:30
讀者服務傳真｜（02）2662-6048
客服信箱｜parenting@cw.com.tw
法律顧問｜台英國際商務法律事務所‧羅明通律師
製版印刷｜中原造像股份有限公司
總經銷｜大和圖書有限公司　電話：（02）8990-2588

出版日期｜2018年4月第一版第一次印行
　　　　　2024年4月第一版第十六次印行
定價｜300元
書號｜BKKKC088P
ISBN｜978-957-9095-55-6（精裝）

訂購服務
親子天下Shopping｜shopping.parenting.com.tw
海外‧大量訂購｜parenting@cw.com.tw
書香花園｜台北市建國北路二段6巷11號　電話｜（02）2506-1635
劃撥帳號｜50331356 親子天下股份有限公司

立即購買 >